W9-ARZ-113

¡MAMiii!

ILAN BRENMAN
GUILHERME KARSTEN

algar
editorial

A mi bella e inteligente esposa
Ilan Brenman

Para mi madre, Ana Maria,
que dio su amor a tres hijos que eran tres diablos
Guilherme Karsten

Título original: *Mãenhê!*
© Ilan Brenman
Traducción: Josep Franco Martínez, 2013
© Dibujos: Guilherme Karsten
© Algar Editorial, SL
   Apartado de correos 225
   46600 Alzira
   www.algareditorial.com
Primera edición de Brinque Book, Brasil, 2011
Publicada por acuerdo con Adriana Navarro Literary Agency, España
Impresión: Índice,S.L. Arts Gràfiques - 08019 Barcelona

1ª edición: octubre, 2013
ISBN: 978-84-9845-562-5
DL: V-1915-2013

SE PASABAN TODO EL SANTO DÍA LLAMÁNDOLA.

¡MAM

-¡MAMIII!

-¿QUÉ QUIERES, HIJA?

-¿TÚ DE QUÉ EQUIPO ERES?

-DE NINGUNO.

-¡MAMIII!
-¿QUÉ QUIERES, HIJO MÍO?
-¿HOY ES VIERNES?
-¡SÍ!

-¡MAMIII!

-¿QUÉ PASA, HIJA?

-¿QUÉ VESTIDO TE GUSTA MÁS, EL AZUL O EL ROSA?

-EL ROSA.

-¡GRACIAS, MAMI! ME PONDRÉ EL AZUL.

-¡MAMIIII!

-¿QUÉ TE PASA AHORA, HIJO?

-ME DUELE EL OJO.

OÍA AQUELLA PALABRA TANTAS VECES AL DÍA
QUE EMPEZÓ A CANSARSE Y DECIDIÓ HACER
ALGO PARA NO VOLVER A OÍRLA NUNCA.

SE COMPRÓ UNOS AURICULARES QUE NO LE DEJABAN OÍR NADA.

PUSO UNA PUERTA NUEVA EN SU DESPACHO QUE NO DEJABA PASAR EL RUIDO.

SE COMPRÓ
UN DISFRAZ Y
SE HIZO PASAR POR
OTRA PERSONA.

FINGIÓ QUE DORMÍA, Y AQUELLO SÍ QUE FUNCIONÓ.

DURANTE UNOS DÍAS, LOS GRITOS DE «¡MAMIIII!» DEJARON DE OÍRSE.
LA MADRE ESTABA MUY CONTENTA.

AL CABO DE UNA SEMANA YA NO ESTABA
ENFADADA. AHORA, EL PROBLEMA ERA QUE
LA TRISTEZA LE ROMPÍA EL CORAZÓN.

UNA NOCHE, DESPUÉS DE HABER ACOSTADO A SUS HIJOS, LA MADRE LES CONTÓ UN CUENTO Y, CUANDO SE DURMIERON, QUISO SALIR DE PUNTILLAS... PERO ENTONCES:

–¿QUÉ OCURRE AHORA? –PREGUNTÓ LA MADRE, SONRIENTE PORQUE
YA TENÍA GANAS DE VOLVER A ESCUCHAR LA PALABRA.

–¡QUE TE QUEREMOS MUCHO! ¡BUENAS NOCHES!

–YO TAMBIÉN –DIJO LA MADRE. LUEGO, CERRÓ CON MUCHO CUIDADO
LA PUERTA Y APAGÓ LAS LUCES DEL PASILLO.

EL AUTOR

ILAN BRENMAN

ESCRITOR CON MÁS DE CUARENTA LIBROS PUBLICADOS, MUCHOS DE LOS CUALES HAN RECIBIDO PREMIOS. AUTOR DEL ÉXITO *LAS PRINCESAS TAMBIÉN SE TIRAN PEDOS*, PUBLICADO POR ALGAR. HACE MÁS DE VEINTE AÑOS QUE ESCRIBE CUENTOS Y QUE VIAJA POR EL MUNDO DEFENDIENDO UNA LITERATURA INFANTIL DE CALIDAD. MÁS INFORMACIÓN: WWW. ILAN.COM.BR.

EL ILUSTRADOR

GUILHERME KARSTEN

NACIÓ EN BLUMENAU, SANTA CATARINA, DONDE VIVE CON SU ESPOSA. FORMADO COMO PUBLICISTA, TRABAJA COMO ILUSTRADOR DESDE HACE MÁS DE DIEZ AÑOS EN EDITORIALES, PELÍCULAS ANIMADAS Y EN EL MUNDO DE LA MODA. EN 2010 GANÓ EL CONCURSO CULTURAL DE LA LIBRERÍA DA VILA DE ILUSTRACIÓN PARA INÉDITOS, UN CONCURSO DE ÁMBITO NACIONAL AL QUE SE PRESENTARON MÁS DE CUATROCIENTOS TRABAJOS. PARA SU PRIMER LIBRO ILUSTRADO HA UTILIZADO LÁPIZ, CARBONCILLO Y COLORES PASTEL. EL COLOR SE HA AÑADIDO DIGITALMENTE.